lijm

Geen probleem met Fixit!

www.mirjamoldenhave.nl
www.ploegsma.nl

Mirjam Oldenhave

# Geen probleem met Fixit!

Uitgeverij Ploegsma Amsterdam

ISBN 978 90 216 6619 8 / NUR 282

Vormgeving omslag: Petra Gerritsen
Typografie en zetwerk: Studio Cursief
Auteursfoto: Mark Sassen

# Inhoud

**Engel** (bijnaam)
*Goed in*: Lief lachen
*Speciale truc*: Huilen op commando
*Gevaarlijk*: Als ze lief lacht...

**Het brein** (bijnaam)
*Goed in*: Denken
*Speciale truc*: Computers kraken
*Gevaarlijk*: Niet echt

**Urk** (eigen naam)
*Goed in*: –
*Speciale truc*: Dood op commando
*Gevaarlijk*: Helemaal nooit (helaas)

**Storm** (bijnaam)
*Goed in*: Beuken, rammen en breken
*Speciale truc*: Kan een brommer optillen, in de lucht gooien en weer opvangen
*Gevaarlijk*: Als hij boos is

**Kim** (eigen naam)
*Bijnaam*: de Panter
*Goed in*: Klimmen, sluipen en springen
*Speciale truc*: Kan zich opvouwen (handig bij verstoppen)
*Gevaarlijk*: In het donker

# De oproep

De kleedkamer van turnen was bijna leeg. Alleen Kim en Anna zaten er nog.

'Met turnen ben je altijd de beste,' zei Anna, 'maar met aankleden... Pfff, je bent nog langzamer dan een slak.'

'Maar die hoeft alleen maar zijn huisje aan te trekken,' antwoordde Kim.

Anna pakte haar tas en liep naar de deur. 'Ik ga vast, doei Kim! O, je mobiel gaat.'

'Ik heb geen mobiel,' zei Kim.

'En toch hoor ik hem. Nou ja, tot morgen!' Weg was Anna.

Kim pakte snel haar schoenen.

*Pèp, pèp, pèp!*

Ja, nu hoorde zij het ook: er ging een mobiel. Langzaam liep ze naar het geluid toe.

*Pèp, pèp, pèp!*

Het kwam uit haar jas! Ze voelde in de zak... Ja, er zat een mobieltje in. Wauw, wat een mooie! Hoe kwam die nou in haar jas?

Voorzichtig maakte ze hem open. 'Hallo?'

'Trek je jas aan en kom naar de speelgoedwinkel,' zei een meisje.

'Met wie spreek ik?' vroeg Kim verbaasd.

'Met Engel.'

Kim keek achter zich. 'Ik weet echt niet hoe je in mijn zak komt,' zei ze verlegen.

'We wachten op je,' zei het meisje.

'Ehm... dit is niet mijn mobiel. Ik ben Kim, hoor!'

'Voor ons niet, wij noemen je Panter. We hebben lang naar je gezocht, Panter. Het is tijd voor je eerste opdracht. Ga snel naar de speelgoedwinkel. Daar wachten we op je.' De verbinding werd verbroken.

'Hallo?' riep Kim. Ze keek naar de mobiel. Kon ze het nummer terugbellen? Stonden er nummers in opgeslagen? Ze drukte op alle knopjes, maar er gebeurde niets.

'Ben ik nou gek of hoe zit dat...' mompelde ze.

Ze moest de mobiel naar de politie brengen. En dan gewoon naar huis gaan. Ja, dat zou verstandig zijn.

Verstandig... maar niet spannend!

Kim strikte haar veters en trok haar jas aan. Toen pakte ze de mobiel en liep de deur uit.

Op naar de speelgoedwinkel!

Ze fietste het Marktplein over. Ja, daar was de winkel. HOY-TOY stond er met grote letters boven de deur.

Kim zette haar fiets op slot en liep langzaam naar binnen. Het was druk, ze had geen idee waar ze naartoe moest. Ze hield haar hand op de mobiel, die in haar jaszak zat. Waar moest ze op letten? Er waren hier zo veel kinderen! Ze liep langs de poppen, de voetballen, de spelletjes, de knuffels...

Met een schok stond ze stil. Daar! Er stond een stoere jongen met een knuffel in zijn hand. Dat was nog niet zo gek, maar... het was een knuffel van een zwarte panter.

De jongen knikte naar haar.

Kim liep naar hem toe. 'Hoi! Weet jij misschien...'

'Sssst!' deed hij meteen. Hij keek snel om zich heen. 'Ik ben Storm. Je bent laat,' fluisterde hij toen.

'Hoezo laat? Ik heb helemaal geen afspraak, hoor!' zei Kim.

Storm gaf geen antwoord. 'Het Brein staat bij de spelletjes.' En weg was hij.

Kim keek naar de kast waar de spelletjes stonden. In de hoek stond een jongen met zijn armen over elkaar naar haar te kijken. Hij stak één vinger op. Langzaam liep ze naar hem toe.

'Ik ben het Brein,' zei de jongen. 'Jij komt in de plaats van Kat.'

Kim hapte naar adem, zo verbaasd was ze. 'Maar wie zijn jullie? Met hoeveel? Hoe komen jullie aan mij? En wat moet ik met die mobiel?'

Het Brein zei niets.

'Wie is Kat?' ging Kim verder. 'Waarom is ze er niet meer bij?'

Hij keek haar aan. Zijn ogen waren niet bruin, maar zwart. 'Omdat ze te veel vragen stelde. Kom je?' En weg liep hij, naar de roltrap.

'Dan niet,' zei Kim boos. Waarom mocht ze niks vragen? Alsof dit allemaal zo normaal was! Ze liep langzaam naar de uitgang. Bij de draaideur stond een bloedmooi meisje. Een modeplaatje was het, een popster, een... engel. Een engel met de knuffel van een zwarte panter in haar hand. Ze streelde zijn rug en lachte naar Kim.

'Hai,' zei ze. 'Ik ben Engel. Ga je mee naar boven? Storm en het Brein wachten op ons.'

Ze drukte de knuffel in Kims hand. 'Hier, cadeautje.' Ze knipoogde en liep naar de roltrap. Ze keek niet om. Zo zeker wist ze dat Kim haar achterna kwam.

# Welkom!

Ze stonden boven bij de dvd's. Langzaam liep Kim naar ze toe.

'Wil je erbij?' vroeg het Brein.

Wáárbij? dacht Kim. Maar ze vroeg niets.

'Hangt ervan af,' zei ze stoer.

Engel moest lachen en ze knipoogde naar Panter.

'Bij Fixit,' zei het Brein. 'Kastanjelaan 16. Helemaal boven. De deur is dicht, maar het raampje staat open.'

Storm gaf een vriendelijke klap op haar schouder. En toen liepen ze weg, heel rustig. Het leek net alsof ze elkaar niet kenden. Alsof ze helemaal niets met elkaar te maken hadden.

Kim stond stokstijf stil. Ze had al een minuut niet geademd.

Fixit? FIXIT!

Iedereen kende Fixit, maar niemand wist wie of wat het was.

Waren het mensen van de politie? Of was het zoiets als Totally Spies? Of misschien was het geen groepje, maar meer een soort superman of spiderman...

Er was maar één ding zeker: Fixit hielp kinderen.

Als je een probleem had, moest je een mailtje naar Fixit sturen. Met een beetje geluk werd je uitgekozen. En dan losten ze je probleem op.

Dus dit was nou Fixit? Deze drie kinderen?

'Ha ha, leuke grap!' mompelde Kim. 'En daar moet ik zeker intrappen?'

Maar diep in haar hart twijfelde ze. Stel je voor dat dit wél Fixit was. Dan mocht zij er dus bij...!

Ze voelde aan haar schouder. Storm had er een sticker opgeplakt. *Geen probleem met Fixit* stond erop.

Kim herkende hem. Het was de enige echte Fixit-sticker. Ze wachtte geen seconde langer en rende naar de roltrap.

Kastanjelaan 16 was een mooi, groot huis. Kim keek naar de voordeur. Er hing geen naambordje.

We zien wel, dacht ze en ze belde aan.

Er gebeurde niks. Ze belde nog eens... nog steeds niks. Toen herinnerde ze zich wat het Brein had gezegd: *De deur is dicht, maar het raampje staat open.*

Kim keek omhoog. Er stond helemaal geen raampje open! Zie je wel, het was een grap. Ze stonden haar nu uit te lachen.

Ik leg dat mobieltje hier op de stoep, dacht ze. En dan fiets ik weg.

Maar ze deed het niet. Ze liep naar de zijkant van het huis en keek omhoog. Daar, helemaal bovenin, stond een raampje open. Aan de knop van het raampje hing een zwart ding. Het was te ver om goed te kunnen zien. Maar Kim wist het zo ook wel: het was een knuffel van een panter.

En nu? Ze kon echt niet tegen die muur op klimmen!

Toen zag ze de regenpijp. Die begon beneden en eindigde boven, net naast het raampje. Kim grijnsde. Heel langzaam begon ze haar jas uit te trekken. Dit kon natuurlijk niemand. Maar zij wel, dat wist ze. En dat wist Fixit dus ook.

Ze haalde een paar keer diep adem en begon te klimmen.

De meeste mensen klommen met hun buik tegen de paal aan. Fout. Je moest in een driehoek klimmen: hoofd bij de paal, kont ver naar achteren, voeten weer bij de paal.

Het was zwaar, heel zwaar, zelfs voor een turnkampioen van 35 kilo. Maar het lukte! Binnen vijf minuten was ze boven. Ze pakte het raampje vast en liet zich naar binnen glijden. Soepel als een panter.

Als ik nou maar niet bij wildvreemde mensen sta, dacht ze hijgend, maar toen hoorde ze applaus. Plechtig stonden ze midden in de kamer: het Brein, Storm en Engel. Ze bleven klappen, vol bewondering.

Naast het Brein zat een grote, zwarte hond. Ook hij keek tevreden naar Kim.

Toen stapte het Brein naar voren. 'Welkom Panter, welkom bij Fixit!'

Even later zat Kim op het bed. Ze kreeg thee en taart.

'Dit is de kamer van het Brein,' vertelde Engel. 'Hier vergaderen we, en hier komen alle berichten binnen.' Ze wees naar de hond. 'Dit is Urk, hij is van Storm, maar hij hoort bij Fixit.'

Urk drukte zijn neus tegen Kims hand. Daarna keek hij strak naar de taart.

'Geef hem maar een stukje,' zei Storm tegen Kim.

Ze gooide een brokje taart, Urk hapte en viel meteen op zijn rug. Zijn ogen waren wijd open, zijn poten staken stijf omhoog.

Kim sprong geschrokken overeind. 'Maar jij zei...'

'Dit is zijn geheime wapen,' antwoordde Storm meteen. 'Dood op commando. Ik maakte een kruisje in de lucht.' Hij trok even aan de staart van Urk. Die sprong meteen weer overeind.

'Bingo!' riep het Brein toen. Hij zat aan zijn bureau en keek naar zijn laptop. 'Werk aan de winkel. Elsa heeft ons nodig.'

# Vaak en ver

Beste FIXIT,
Op het Boomplein spelen altijd heel veel kinderen. Ik dus ook.
Er staan schommels en een klimrek en een mooie grote boom.
Maar nu zijn er ineens jongens met brommers.
Ze gaan daar heen en weer crossen.
En ze zeggen dat het hun plein is.
Ik vind het zo gemeen. Kunnen jullie ze wegjagen?
Kusje van Elsa (9 jaar)

'Zal ik hun brommers in de gracht gooien?' vroeg Storm.

Panter moest lachen.

'Dat kan hij echt, hoor!' zei Engel. 'Hij kan een brommer optillen, boven zijn hoofd! Dat is zijn geheime wapen.'

Het Brein aaide Urk over zijn rug. 'Wacht eens even,' zei hij toen. 'Urk brengt me op een idee!'

Twee dagen later stonden Engel en Storm bij het Boomplein.

'Ja, daar komen ze,' zei Engel.

Er reden vier jongens op brommers het pleintje op. Keihard gingen ze rondjes rijden.

'Wat een herrie!' schreeuwde Engel.

'Wat zeg je?' riep Storm.

'Laat maar.' Engel kneep haar ogen dicht. En ja hoor,

daar stroomden de tranen over haar wangen: Engels geheime wapen! Ze lachte nog even naar Storm en liep toen huilend het plein op.

Meteen reden de jongens naar haar toe. ‘Wegwezen, kleuter! Dit plein is nu van ons!’ riepen ze.

Engel wreef in haar ogen. ‘Mijn hond zit in de boom,’ snikte ze.

‘Wat?’ De jongens zetten hun brommer af. Ze keken naar de boom, maar ze zagen niets. Er waren te veel bladeren.

'Je hond?' vroeg de grootste jongen.

Engel knikte. Ze huilde nog steeds. 'Hij is een takkenhond,' snikte ze. 'Die kunnen in bomen klimmen. Maar nu durft hij er niet uit te komen!'

'Pech voor jou en je takkenhond. Nou, moeven jij!' zei de grote jongen.

De andere jongens knikten. 'Ja, moeven jij!'

'Ik vind het zo zielig voor hem. Hij heeft last van bange poep,' huilde Engel.

'Nou en?' riep de jongen.

'Ja, nou en?' brulden de anderen.

FLATS!

Meteen viel er een bruine klodder op de grond.

'Hé, hij poept!' De jongen keek verbaasd naar de grond en daarna naar de boom.

FLOP!

Nog een klodder.

Die viel precies op het voorwiel van zijn brommer.

'Ieieieie!' riep de jongen. 'Laat dat beest ophouden!'

'Het komt door jullie lawaai,' zei Engel. 'Daar krijgt hij bange poep van. Dan moet hij ineens heel vaak. Vaak en ver.'

PETS!

En deze bruine kwak...

...plofte midden op het hoofd van de grote jongen!

'Getver, kak op mijn kop!' schreeuwde hij. Hij schudde woedend met zijn hoofd.

De andere jongens reden snel een stukje achteruit. Eentje moest lachen, maar hij hield gauw weer op. Ze keken nu allemaal naar de boom.

'Kom dan toch naar beneden, lieverdje,' smeekte Engel.

FLATS. Weer een klodder, ditmaal in de nek van de grote jongen.

'Hij moet wel vaak,' mompelde een andere jongen.

Engel knikte. 'Dat zei ik toch: vaak en ver. Dat komt door jullie brom...'

'Jaha! Dat weten we nu wel,' zei de grote jongen woedend. Hij wees naar de boom. 'Haal hem eruit!'

'Ik durf niet te klimmen,' zei Engel. 'Willen jullie het alsjeblieft doen?'

'En dan zeker een drol in mijn smoel krijgen. Ja, dag!' De jongen startte zijn brommer. Hij keek nog één keer naar de boom, daarna naar Engel... en toen reed hij weg.

De andere jongens reden er snel achteraan.

Engel wachtte een paar seconden. Toen kwam Storm eraan. Lachend liepen ze naar de boom.

'Kom maar!' riepen ze naar boven.

Uit de bladeren kwam Panter tevoorschijn. 'Nu al?' vroeg ze teleurgesteld. Ze liet zich zakken en Storm tilde haar op de grond.

'Je hebt het heel goed gedaan!' zei Engel tevreden. 'Het Brein zit thuis te wachten. Met Urk. En met de andere helft van de chocoladetaart!'

Panter likte aan haar vingers. 'Sorry hoor, maar ik heb tussendoor wel wat hapjes genomen.'

'Groot gelijk,' zei Engel. Ze plakte nog snel een sticker op het hek.

*Geen probleem met Fixit!* stond erop.

# Silvo

Beste Fixit,
Ik zit op judo.
Nick en Jelle helaas ook.
Ze pesten me heel, heel erg. Vooral na afloop, dan wachten ze me altijd op.
Ik wil van judo af, maar dat mag niet van mijn moeder.
Help me!
Silvo

Het Brein zat achter zijn laptop, de anderen lazen over zijn schouder mee.

'Nick en Jelle...' Storm stroopte zijn mouwen op. 'Mag ik?' vroeg hij.

Panter en Engel schudden hun hoofd.

Maar het Brein zei: 'Waarom niet? Engel, wil je Silvo bellen? Ik heb een plan!'

'Hoe kun je hem bellen?' vroeg Panter.

'In de bijlage staan zijn telefoonnummer en adres,' antwoordde het Brein. 'Dat moet, anders wordt je probleem niet behandeld.'

De volgende dag liepen Storm, Engel en Panter naar de judoschool. De deur was dicht. Buiten zaten twee jongens te wachten.

'Dat zijn zeker Nick en Jelle,' zei Storm zachtjes.

Engel en Panter verstopten zich snel achter een auto.

'Zet 'm op, Storm!' fluisterde Engel.

Storm liep naar de jongens toe. 'Hé, hebben jullie Silvo gezien?' vroeg hij. 'Zo'n klein ventje, hij zit hier op judo.'

De ene jongen wees naar de deur. 'Hij is nog binnen,' zei hij. 'Hoezo?'

'Hij heeft mijn voetbal over de schutting geschoten,' zei Storm. 'Daarom ga ik hem een knal voor zijn kop geven.'

De jongens grinnikten gemeen.

'Hij komt zo wel naar buiten,' antwoordde de een.

'Ik haat dat soort jongens,' fluisterde Panter.

Engel knikte.

Toen ging de deur van de judoschool open. Er kwam een kleine, verlegen jongen naar buiten.

'Kijk, dat is Silvo,' zeiden de jongens tegen Storm.

'O, nee hè!' piepte Silvo toen hij Storm zag.

Zijn ogen werden groot van angst. Hij wilde wegrennen, maar Storm riep: 'Hier komen!'

Met gebogen hoofd kwam Silvo dichterbij. 'Het ging per ongeluk met die bal,' zei hij bang. Je kon horen dat hij bijna huilde.

Storm knakte zijn vingers. 'Niks mee te maken!' zei hij. 'Je moet twintig euro aan me betalen!'

'Twintig euro? Dat heb ik niet,' fluisterde Silvo.

Jelle en Nick zaten te genieten.

Langzaam liep Storm naar Silvo toe. Hij pakte hem bij zijn nek en tilde hem op.

'Niet doen, straks word ik boos!' riep Silvo.
Nick en Jelle bulderden van de lach.
'Betalen,' zei Storm.
Ineens schreeuwde Silvo als een woeste leeuw. Hij gaf Storm een keiharde dreun tegen zijn hoofd.
'Au!' Storm liet hem meteen los en zette snel een stap achteruit. Stomverbaasd wreef hij over zijn hoofd.
Silvo gromde. Toen pakte hij Storm bij zijn kraag en gooide hem met een heupzwaai op de grond.
Jelle en Nick bleven met open mond kijken.
Silvo drukte een knie op de borst van Storm.
'Au, dat doet zeer, man!' riep Storm.

'Wat was dat nou, met die bal?' vroeg Silvo zogenaamd aardig.

'Niks, niks, echt niet!'

'O, NEE?' schreeuwde Silvo ineens. 'Waarom maak je me dan kwaad?'

'Sorry,' fluisterde Storm.

'Sorry wie?'

'Sorry, Silvo.'

'En die bal?'

'Praten we niet meer over,' piepte Storm.

'Mooi zo,' zei Silvo tevreden. Toen stond hij op. Hij pakte een tak van de grond die zo dik was als de arm van een man. KRAK! Silvo brak hem in twee stukken, op zijn knie.

'Je moet mij niet boos maken,' gromde hij. 'Dat zei ik je toch?'

Storm knikte.

Ineens keek Silvo naar Jelle en Nick. Nick lachte verlegen naar hem en hij zwaaide zelfs even. Jelle keek naar de lucht. O, o, wat een mooie lucht, leek hij te denken.

Toen liep Silvo weg.

Storm kwam voorzichtig overeind. Zachtjes kreunend bleef hij zitten.

Jelle en Nick zeiden niets meer. Helemaal niets...

Met stijve benen liepen ze weg. Niet Silvo's kant uit, maar de andere.

Lachend kwamen Engel en Panter tevoorschijn. Storm stond op. Hij veegde zijn handen schoon aan zijn broek.

Panter raapte de twee stukken tak op. 'Was die al gebroken?' vroeg ze.

'Storm had alvast wat voorwerk gedaan,' antwoordde Engel. Ze liep naar de deur van de judozaal en plakte er een sticker op.

*Geen probleem met Fixit* stond erop.

# Zoek konijn!

Beste Fixit,
Mijn zusje heeft een konijn.
Hij heet Fixitje, omdat we fan van jullie zijn.
Soms mag hij even los in de tuin.
Maar vorige week liep hij ineens weg!
Mijn zusje is zo verdrietig.
Ze huilt de hele dag en ze eet niet meer.
We hebben overal gezocht.
Kunnen jullie hem misschien zoeken?
Groeten van Sam
PS: In de bijlage staan mijn telefoonnummer en mijn adres. En ook foto's van Fixitje. Dan weten jullie hoe hij eruitziet.

Het Brein bekeek de bijlage.

'Schattig dat hij Fixitje heet!' zei Engel.

'Maar hoe zoek je een konijn?' vroeg Panter. 'Roepen? Of met een wortel rondlopen?'

Engel keek naar Urk. 'Urk, zoek konijn!' probeerde ze.

Urk ging keurig zitten en gaf een poot. Vol verwachting keek hij Engel aan. Zo goed? Zo goed?

'Laat maar, Urk,' zei Engel. 'Het geeft niet dat je dom bent. Jij kunt kwispelen, en dat kunnen wij weer niet.'

'Actie, we gaan zoeken!' zei het Brein. 'Storm, jij zoekt rondom het huis.'

'Oké,' antwoordde Storm meteen.

'Panter, jij gaat met Urk naar het park,' ging het Brein verder. 'Urk is heel erg bang voor konijnen. Als hij begint te piepen, weet je dat je in de buurt bent. En Engel, jij gaat op straat aan de mensen vragen of ze Fixitje gezien hebben. Jullie krijgen een foto mee.'

Ze knikten alle drie.

'En als ik hem vind?' vroeg Panter.

'Uitkijken dat hij Urk niet bijt,' zei Engel.

Panter moest lachen, maar Urk ging zuchtend liggen, met zijn kont naar Engel toe.

'Wie hem vindt, moet mij bellen,' zei het Brein.

'En als we hem niet vinden?' vroeg Storm.

'Dan gaan we over op plan twee,' antwoordde het Brein.

Het was drie uur in de nacht. Ze liepen met zijn vieren op straat. Plan één was mislukt. Ze hadden de hele middag gezocht, maar Fixitje was echt nergens te vinden. Dus nu was het tijd voor plan twee.

Engel droeg een wit konijn in haar armen. Ze aaide over zijn rug en fluisterde lieve woordjes in zijn oor. Het konijn was helemaal rustig bij haar.

'Hier wonen ze,' fluisterde het Brein. 'Ik heb vanmiddag al onderzoek gedaan. De kamer van het zusje van Sam is daar.' Hij wees naar boven. 'Sam heeft het raam op een kiertje gezet.'

Heel voorzichtig stopte Engel het konijn in een rugzak.

'Het is maar heel even, schatje,' mompelde ze.

Panter hing de rugzak om, de bovenkant lieten ze open.

Storm stond al klaar met zijn rug tegen de muur. Hij maakte een bakje met zijn handen, daar kon Panter instappen. Daarna tilde hij haar omhoog, tot bij zijn schouders. Ze deden heel voorzichtig vanwege het konijntje. Toen pakte Storm de voeten van Panter en duwde hij haar verder omhoog. Hij kon haar bijna tot aan de vensterbank tillen.

Hij leek wel een lift, een levende lift!

Panter duwde het raam open en kroop muisstil naar binnen.

Zaklamp aan...

Er lag een klein meisje te slapen. Ze had een foto van een konijntje in haar hand.

Naast haar bed stond een groot, leeg hok. Panter pakte snel het konijn uit haar rugzak.

Zachtjes zette ze hem in het hok.

'Dag konijn, dit is je nieuwe huis. Voortaan heet je Fixitje, goed onthouden!' fluisterde ze. 'En denk erom: niet weglopen! Anders moeten we wéér een nieuw konijn kopen bij de dierenwinkel. En dat wordt te duur.'

Ze deed het hok op slot. Toen plakte ze een sticker op het deurtje.

*Geen probleem met Fixit.*

Uit haar rugzak pakte ze een zwarte stift. Daarmee schreef ze twee letters op de sticker.

*Geen probleem met Fixitje* stond er nu.

Tevreden liep ze naar het raam.

De levende lift stond al klaar...

# STILTE!

'Moeten jullie eens kijken,' zei het Brein. 'Deze twee berichten kwamen vlak na elkaar binnen.'

Nieuwsgierig kwamen de anderen achter hem staan en begonnen te lezen.

Geachte Fixit,
Ik heb verschrikkelijke buren. Ze maken de hele dag door herrie, lawaai en kabaal. Ik heb geklaagd, maar niets helpt. Ook heb ik de politie gebeld, maar die doen niks. Mijn vraag aan jullie is: zorg dat ze verhuizen.
Het gaat om de familie Jongsma, Julianasingel 4.
Met vriendelijke groet,
Mevrouw Blering

'Nou, het is maar wat je vriendelijk noemt,' zei Panter.

Het Brein klikte een nieuw bericht aan. 'En nu moeten jullie deze lezen. Die kwam ietsje later binnen.'

Beste Fixit,
Onze buurvrouw houdt van stilte.
Ze vindt dat wij herrie maken.
Zestig keer per dag komt ze zeuren.
Ze heeft ook de politie al gebeld.
Maar we zijn heel rustig, eerlijk waar!
Die agent zei ook dat het aan de buurvrouw lag.
We worden gek van haar.

Daarom willen mijn ouders verhuizen.
Maar al mijn vrienden wonen hier, ik wil niet weg.
Help!
Kas Jongsma
Julianasingel 4

'We schrijven aan die buurvrouw dat ze niet zo moet zeuren,' zei Panter.

Engel knikte. 'Precies. Zeg maar dat ze oordopjes moet kopen.'

Het Brein keek haar aan. 'Je brengt me op een idee!' zei hij. 'Jij gaat het doen, samen met Storm. Panter, bel jij die jongen even op? In de bijlage staat zijn nummer. Hij moet tegen zijn buurvrouw zeggen dat ze heel snel gaan verhuizen.'

Het was zondag. Storm en Engel belden aan bij Julianasingel nummer 2. Panter stond achter de heg mee te luisteren. Het Brein had een heel grappig plan bedacht, dus ze wilde het niet missen.

De buurvrouw deed open.

'Goede zondagmorgen, mevrouw,' zei Engel beleefd. 'We komen even kennismaken: wij worden de nieuwe buurkinderen.'

Storm glimlachte.

'Weer kinderen?' vroeg de buurvrouw kribbig. 'Ik heb duidelijk tegen de gemeente gezegd: ik wil buren zonder kinderen!'

'Maar u hoeft niet bang te zijn, hoor! Wij zijn heel rustig, wij houden van stilte!' zei Engel.

Storm glimlachte.

'O, dat is fijn,' zei de buurvrouw verrast.

'Vooral mijn broer.' Engel wees naar Storm. 'Hij haat herrie!'

'Dan is hij niet de enige,' zei de buurvrouw tegen Storm. Ze klonk al iets aardiger dan daarnet.

Storm glimlachte.

'Daarom heeft hij altijd oordopjes in,' vertelde Engel.

De buurvrouw keek verbaasd naar Storm.

'Vindt hij lekker stil,' zei Engel. 'JA TOCH?' schreeuwde ze ineens.

De buurvrouw schrok zich kapot.

'Je moet schreeuwen, anders hoort hij je niet,' legde Engel uit. 'Hij heeft zijn oordopjes altijd in, echt altijd.'

Storm glimlachte.

Engel stootte hem aan. 'JE DOET ZE TOCH NOOIT MEER UIT?' brulde ze.

Storm schudde zijn hoofd.

'Omdat hij zo van stilte houdt,' zei Engel tegen de buurvrouw. 'Zelfs met drummen houdt hij ze in.'

De buurvrouw slikte. 'Zelfs met wat?' vroeg ze schor.

'Met drummen,' herhaalde Engel.

Ze gaf Storm een duw. 'JA, TOCH?'

Storm keek haar vragend aan.

'MET DRUMMEN HOU JE ZE TOCH OOK ALTIJD IN?'

Storm knikte.

'Omdat hij zo van stilte houdt,' zei Engel weer.

De buurvrouw keek haar angstig aan.

'Zeg, eh... de familie Jongsma...' begon ze.

'Ja?' Engel keek haar vriendelijk aan.

'Het is toch niet zeker dat ze weggaan?' vroeg de buurvrouw.

'Welnee,' antwoordde Engel.

'Dus als ik vraag of ze willen blijven...' begon de buurvrouw.

'Dan blijven ze!' zei Engel. 'Dus vraag het maar niet, want wij willen heel graag naast u komen wonen.' Ze keek naar Storm. 'TOCH? WE WILLEN TOCH HEEL GRAAG...'

Beng! De deur was dicht.

Storm wreef over zijn oren. 'Wat kan jij schreeuwen, zeg!' zei hij.

'Dank je,' zei Engel tevreden.

Toen liep ze naar de deur van nummer 4. Het huis van Kas Jongsma.

Ze plakte snel een sticker op de deur.

*Geen probleem met Fixit* stond erop.

# Spreekbeurt

Beste Fixit,
Ik zit in groep vijf van de Theo Thijssenschool.
Donderdag moet ik een spreekbeurt houden.
Maar dat vind ik zo vreselijk!
Ik breek nog liever een been.
Of twee.
Echt waar.
Kunnen jullie me alsjeblieft helpen?
Emma

Het Brein draaide zich om. De andere drie zaten op het bed. Hij had het bericht voorgelezen.

'Zielig!' zei Panter.

Engel knikte. 'Ik heb ook een hekel aan spreekbeurten.'

'Ik nog erger dan jij,' zei Storm.

'Hoe weet je dat nou!' riep Engel.

Storm haalde zijn schouders op. 'Dat weet ik gewoon.'

'Je kunt toch zeker niet...' begon Engel.

'Sst, geen ruzie!' zei het Brein snel. 'Ik heb al een plan. Panter, ik wil een plattegrond van de Theo Thijssenschool. Storm, jij gaat naar de feestwinkel. Engel, jij belt Emma.'

'Wat gaan we doen?' vroeg Engel.

Rustig vertelde het Brein zijn plan.

Het was donderdagochtend, bijna half negen. De kinderen van de Theo Thijssenschool liepen naar binnen. Het was heel erg druk op het plein. Daarom viel het niet op dat er twee kinderen extra waren. Dat waren Panter en het Brein. Ze liepen zo rustig mogelijk de school in. Panter wist precies hoe ze moesten lopen. Dat kwam doordat ze de plattegrond had bekeken. Het Brein had een plastic tas bij zich. PARTY-SHOP stond erop.

'Trap op,' mompelde Panter.

Heel onopvallend gingen ze naar boven.

'Daar naar links,' zei Panter.

Hier waren geen kinderen meer. Alleen wc's en kasten. Ze keken snel om zich heen.

'Nu!' fluisterde Panter.

En razendsnel schoten ze een kast in. Er stonden bezems en andere schoonmaakspullen in.

Deur dicht, gelukkig was het niet helemaal donker. Ziezo, stap één was gelukt.

Om half negen zaten alle kinderen in de klassen.

'Pfff, wat een benauwd hok is dit,' klaagde Panter.

Het Brein knikte.

Waar bleef Emma!

Eindelijk werd er geklopt. Razendsnel zette Panter haar zonnebril op. Het Brein trok een vampiermasker over zijn hoofd. Toen duwde Panter de deur open.

Daar stond een meisje. 'Waah!' riep ze, want ze schrok van het Brein. 'Sorry!' fluisterde ze toen. 'Ik ben Emma.'

'Waar moet ik heen?' vroeg het Brein. Zijn stem klonk heel raar door dat masker.

Emma wees de gang in. 'Die rode deur, dat is mijn klas.'

'Kom maar in de kast,' fluisterde Panter tegen Emma.

Ze trok de deur van de kast weer dicht.

'Ik ben jullie zo dankbaar,' fluisterde Emma.

Panter zei niets.

'Onze hele klas is fan van jullie,' ging Emma verder. 'En nu staat er iemand van Fixit voor hun neus, en ze hebben het niet eens door!'

Slimme plannen verzinnen, laat dat maar aan het Brein over, dacht Panter trots.

Ze hoefden niet lang te wachten. Na een kwartier kwam het Brein terug.

'Klaar,' zei hij zacht. 'Je hebt een tien, ze vonden het een goede spreekbeurt. Ze weten nu alles over vampiers.'

'Een tien?' riep Emma. 'Dank je wel, dank jullie wel!'

Ze omhelsde het Brein en gaf een dikke kus op zijn vampierwang.

'Kijk uit, hij bijt!' riep Panter.

Emma lachte, maar ze liet wel snel los.

'Ga maar gauw terug naar de klas,' zei het Brein.

Even later glipten Panter en het Brein de school uit.

'Vonden ze je stem niet raar?' vroeg Panter.

'Ik zei dat dat een vampierstem was,' antwoordde het Brein.

Panter moest lachen. Ze plakte nog snel een sticker op het schoolhek.

*Geen probleem met Fixit* stond erop.

# Schoolkamp

Beste Fixit,
Ik heb een vreselijk probleem.
Onze klas gaat twee dagen op schoolkamp, maar ik plas nog in mijn bed.
Help.
Groeten van Lars (9 jaar)

'Ik heb hem al gebeld,' zei het Brein.

'Kan hij geen grote luier omdoen?' vroeg Panter.

Het Brein schudde zijn hoofd. 'Hij is bang dat ze dat zien.'

'Wekker zetten?' vroeg Engel.

'Dan wordt iedereen wakker,' antwoordde het Brein.

'De hele dag niks drinken?' stelde Storm voor.

'Dat heeft hij al een keer geprobeerd. Maar toen moest hij 's nachts toch nog plassen.' Het Brein zuchtte diep. 'Ik weet echt geen oplossing.'

'Dan moet hij thuisblijven,' zei Storm. 'Wij kunnen hem niet helpen. Volgende mailtje.'

Panter sprong overeind. 'Nee!' riep ze hard.

De anderen schrokken ervan.

'Ik bedoel... we moeten nog even verdergaan met denken.' Verlegen ging ze weer zitten. 'Als je zo groot bent en je plast nog in je bed, dat is heel erg, hoor!'

De anderen zeiden niks.

'Tenminste, dat lijkt mij heel erg,' zei Panter zacht.

Het bleef een tijdje stil. Iedereen dacht na. Zelfs Urk staarde peinzend in de verte.

'Hebbes!' Het Brein klapte zijn laptop dicht. 'Panter, bel hem maar op. Hij moet op schoolreisje een rode slaapzak meenemen, een blauwe pyjama, een witte zakdoek en een kleine zaklamp met een sterke batterij.'

'Ho, ho, ho!' Panter pakte snel een blaadje en een pen. 'Een rode slaapzak en verder?'

Twee weken later. Het was zes uur in de ochtend.

'Zes uur,' mopperde Storm. 'Zés úúr!'

Samen met Panter stond hij voor Huize Bospret. Hier lag de klas van Lars ergens te slapen.

Storm scheen met zijn zaklamp langs het gebouw. Aan een van de ramen hing een witte zakdoek. 'Die heeft Lars opgehangen. Dat moet dus hun slaapzaal zijn,' fluisterde hij.

Ze slopen erheen, Storm sjouwde een grote tas met zich mee. 'Wat een gesnurk, het lijkt wel een houtzagerij,' zei hij.

Hij ging tegen de muur staan en maakte een kommetje van zijn handen. 'Mevrouw, gaat uw gang.'

'Dank u.' Panter pakte de tas, klom in het kommetje, daarna op zijn schouders en gleed toen door het raam naar binnen.

Het was pikdonker, maar in de hoek zag ze een klein lichtje. Iemand had een zaklamp in zijn slaapzak gestopt. Daar lag Lars dus.

'Pff, ik had hem zonder lichtje ook wel gevonden,' mompelde Panter. Ze kon ruiken dat Lars al geplast had. Ze haalde haar eigen zaklamp uit de tas en scheen om zich heen. Er waren ongeveer twintig bedden. De kinderen die erin lagen deden zeker een snurkwedstrijd! Panter liep snel naar het bed van Lars. Hij lag in een hoek. Er staken alleen wat blonde haren boven de slaapzak uit, voor de rest lag hij helemaal ingepakt.

'Word eens wakker.' Panter schudde aan zijn schouders.

'Wie, waar, waarom?' vroeg Lars geschrokken.

'Fixit, slaapzaal, bedplassen,' antwoordde Panter zachtjes.

Gapend kwam Lars uit zijn slaapzak. Oei, hij had niet overdreven. Alles was drijfnat.

Panter haalde een blauwe pyjama en een rode slaapzak uit de tas. 'Is je matras nat?'

'Nee, er ligt een zeiltje op.' Lars schraapte zijn keel. 'Ehm...'

'O ja, ik zal me even omdraaien,' fluisterde Panter.

Even later pakte ze zijn natte pyjama. Die propte ze in haar tas, bij de natte slaapzak. 'Nou, ik zou zeggen: nog veel ple...'

Toen zag ze dat Lars huilde. Hij zat op de rand van zijn bed en verborg zijn gezicht in zijn handen.

'Je bent nu toch droog?' vroeg Panter verbaasd.

'Ik schaam me zo,' snikte hij.

'Voor mij?'

Lars knikte. 'Ik ben al negen jaar en nog steeds een baby.'

Panter dacht even na. Toen ging ze naast hem zitten. 'Kun je een geheim bewaren?' fluisterde ze toen. 'Ik plas ook nog in mijn bed.'

Meteen hield Lars op met huilen. 'Jij?'

'Ssst! Ja, ik. We kunnen er niks aan doen. Sommige kinderen zijn allergisch en wij hebben dit. Pech gehad! Nou, stoppen met huilen, anders wordt je bed weer nat. Hup, in je zak!'

Braaf kroop Lars in zijn slaapzak. 'Mm, lekker droog,' zei hij.

Panter keek hem streng aan. 'Zorg dat je wakker blijft, want we komen niet nog een keer!'

'Hartstikke bedankt,' zei Lars. 'En ik zal het aan niemand vertellen.'

Panter liep terug naar het raam.

'Hé!' fluisterde Lars. 'Jullie plakken toch altijd een sticker?'

Panter knikte en scheen op de schone slaapzak. *Geen probleem met Fixit* stond erop.

# Ziekenhuis

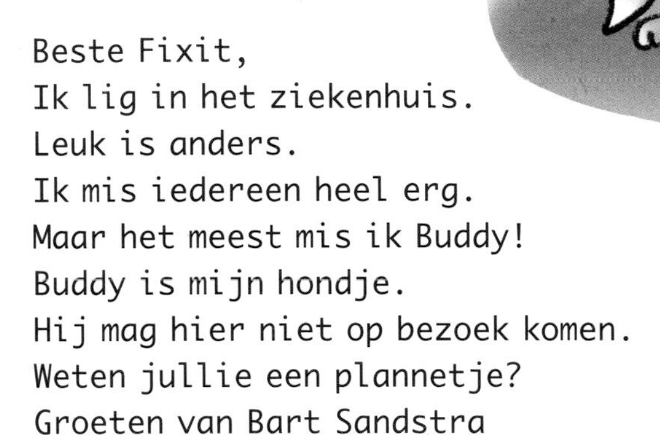

Beste Fixit,
Ik lig in het ziekenhuis.
Leuk is anders.
Ik mis iedereen heel erg.
Maar het meest mis ik Buddy!
Buddy is mijn hondje.
Hij mag hier niet op bezoek komen.
Weten jullie een plannetje?
Groeten van Bart Sandstra

Het Brein had het bericht voorgelezen.
'Zielig!' zei Engel.
Storm knikte en aaide Urk over zijn kop. Urk zuchtte diep.
'Heb je al een plan?' vroeg Panter aan het Brein.
'Bijna,' antwoordde hij.
De andere drie bleven geduldig wachten.
'Bingo,' zei het Brein na een tijdje. 'Engel, hoe is het met jouw geheime wapen?'
Engel kneep haar ogen stijf dicht. En hup! Daar rolden de tranen over haar wangen.
'Prima!' zei ze vrolijk.
'Mooi zo. Panter, bel de ouders van Bart maar op,' zei het Brein.

Het was zeven uur 's avonds. Engel liep door de gang van het ziekenhuis. Ze droeg een rode tas over haar schouder.

Afdeling zes, hier moest ze zijn. O, daar was een zuster.
'Zuster, ik ben de vriendin van Bart Sandstra,' zei Engel.
'Zaal drie, zijn bed staat bij de deur!' antwoordde de zuster meteen.
Engel kneep snel haar ogen dicht. Meteen rolden er twee dikke tranen over haar wangen.
'Och kindje, wat kan ik voor je doen?' vroeg de zuster.
Mooi zo, dacht Engel. En ze vertelde snikkend wat ze wilde.

Even later liep ze samen met de zuster naar zaal drie. Er lagen vier kinderen.
'Bart, hier is je meisje!' zei de zuster.
Bij de deur lag een jongen. Zijn gezicht was bleek. Hij zag er moe uit, net alsof hij een hele nacht niet had geslapen.
'Huh? Ik heb helemaal...' begon de jongen.
Maar Engel hield razendsnel de Fixit-sticker in de lucht, achter de rug van de zuster.
'Hai Bart!' groette ze.
'Eh... hoi,' antwoordde Bart. En daarna nog eens: 'Hé, hoi!'
En toen pakte de zuster zijn bed en duwde hem de gang op.
'Wat gebeurt er?' mompelde Bart.
'Je mag een half uur in de spreekkamer,' zei de zuster vriendelijk. 'Dat vroeg je vriendinnetje. Ze wil zo graag even privé met je zijn.'
Engel liep achter hen aan. 'Ja, altijd zijn die andere kinderen erbij. En die liggen maar mee te luisteren en mee te praten,' zei ze.
De zuster duwde het bed een klein kamertje in. 'Ziezo, jongelui: gedraag je!' Ze lachte hard en liep de kamer uit.
'Hoe...' stamelde Bart.

Engel zei niets. Ze draaide de deur op slot. Toen zette ze haar tas op het bed en deed hem open.

'BUDDY!' schreeuwde Bart.

'Ziezo jongelui: gedraag je!' zei Engel. Ze ging tevreden op een stoel zitten.

Buddy sprong uit de tas, regelrecht in de armen van Bart. Het was een klein, wit hondje met een kort staartje. Hij kwispelde niet, maar hij draaide ermee. Trrrr, net een klein propellertje. Engel had nog nooit zó'n blij hondje gezien. En trouwens, ze had ook nog nooit zo'n blije jongen gezien. Een half uur lang keek ze ademloos naar de Bart & Buddy-show. Ze kreeg tranen in haar ogen. En die hadden niets met haar geheime wapen te maken.

Buddy rende om Bart heen, over hem heen, onder hem door. Hij kroop onder Barts pyjama, beet in zijn oor, trok grommend aan het slangetje. Hij ging op zijn rug liggen, op zijn achterpoten staan, zelfs op zijn kop... kortom, hij was helemaal gek van blijdschap.

Bart had rode wangen gekregen. Zijn ogen straalden en hij lachte aan één stuk door.

Buddy is een wonderpil, dacht Engel.

Een half uur later namen ze afscheid. Buddy sprong braaf weer in de tas.

'Doei Bart. Ik kom in het weekend weer! Tenminste: als je het niet met me uitmaakt!'

'Nooit!' zei Bart.

Engel ritste haar tas dicht en liep weg. Bij de zusterkamer stond ze stil.

'Bart kan weer terug!' zei ze.

De zusters moesten ontzettend lachen. Engel lachte hartelijk met ze mee. Ze plakte nog snel een sticker op hun deur.

*Geen probleem met Fixit* stond erop.

# De huiswerkclub

Beste Fixit,
Ik moet op een huiswerkclub!
Dat willen mijn ouders.
Help, ik word gek!
Ik wil gewoon voetballen!
Groeten van Tom

Het Brein las het bericht hardop voor. De andere drie zaten op het bed te luisteren.

'Een huis-werk-club!' herhaalde Engel met een vies gezicht. 'Waarom willen ouders dat?'

De anderen haalden hun schouders op.

'Heb je al een plan?' vroeg Panter aan het Brein.

Hij klapte zijn laptop dicht. 'Misschien,' antwoordde hij. 'We schrijven een deftige brief aan zijn ouders. Daarin vertellen we dat de huiswerkclub heel erg slecht is. Dat de kinderen alleen maar mogen voetballen en dat ze ook roken en bier drinken...'

Ineens moest Engel lachen. 'Wacht eens, ik heb een beter plan!' zei ze. 'Een veel, véél beter plan! En jij gaat het doen.'

'Ik...?' Het Brein sprong geschrokken overeind. 'Nee, nee! Ik ben alleen maar het Brein. Een Brein doet niet, een Brein denkt alleen! Ik verzin, jullie voeren uit.'

'Ik bel Tom wel even op,' zei Engel.

Het was de volgende dag. Storm en het Brein stonden bij Toms huis. Het Brein had de bril van zijn vader opgezet.

'Tot zo!' zei Storm. 'Zet 'm op!' En hij dook achter een struik.

Het Brein zuchtte diep. Toen liep hij naar de voordeur. Eerst zocht hij het knopje van de bel. Hij zag haast niks door die bril, dus het duurde lang voor hij dat had gevonden. Daarna drukte hij twee keer kort.

Al snel ging de deur open en daar stond Tom.

'Ik ben Jan-Joost-Jozef,' zei het Brein.

Tom moest keihard lachen. Maar hij keek meteen weer ernstig. 'Kom maar binnen,' zei hij. 'Succes!' fluisterde hij zacht.

In de huiskamer zat Toms moeder te lezen.

'Mam, dit is Jan-Joost-Jozef,' zei Tom. 'Hij is van de huiswerkclub.'

Het Brein boog zijn hoofd en zei: 'Aangenaam!' Hij duwde snel zijn bril weer recht. 'Ik kom voor uw zoon, als je nieuw lid bent, word je altijd opgehaald. We gaan meteen naar de club.'

'Prima!' zei Toms moeder verrast. 'Maar willen jullie niet eerst een kopje thee?'

'Nee, dank u,' zei het Brein. 'Van thee krijg je natte hersens.'

'O... nou...' Toms moeder slikte. 'Ga dan maar gauw. Veel plezier!'

'PLEZIER?' riep het Brein met een vies gezicht. Het leek net of hij 'poep' zei. 'Plezier is voor de dommen! Wij van de huiswerkclub, wij moeten werken! Tafels leren! Landen, steden en rivieren uit ons hoofd leren. Optellen, aftrekken, lange ij en korte ei!' Hij hijgde ervan.

Tom hoestte.

'Maar... maar,' stamelde zijn moeder.

Het Brein ging verder: 'We leven toch niet voor de lol? Kom Tom, we mogen niet te laat komen. Vandaag staan er extra lange staartdelingen op het rooster. We kunnen er onderweg vast over praten.'

Toen werd er gebeld. Tom deed open, het was Storm.

'Hoi, kom je voetballen?' vroeg hij.

'Mag niet,' zei Tom.

Maar zijn moeder kwam snel de gang op. 'Ga onmiddellijk voetballen! Jan-Joop-Jaap, naar de club, jij! Je extra lange staartdelingen wachten!'

Het Brein stak zijn vinger op. 'De naam is Jan-Joost-Jozef!' zei hij. En toen liep hij weg.

'Nog bedankt!' riep Tom hem na. Hij keek zijn moeder aan. 'Voor het ophalen, bedoel ik.'

'Wat een griezel!' zei Toms moeder. 'Huiswerk is belangrijk, maar je kunt ook overdrijven! Nou, hup, naar buiten, jongens!'

'En de huiswerkclub dan?' vroeg Tom.

Zijn moeder rilde. 'Daar zoeken ze maar een ander voor.' Ze liep weer naar de kamer.

'Hé!' riep ze. 'Er zit een sticker op mijn boek. Tom, heb jij dat gedaan?'

'Ja,' fluisterde Storm.

'Eh, ja,' riep Tom.

'Wat is dat nou weer voor flauwekul,' mopperde zijn moeder. 'Beloof me dat je dat niet meer doet!'

'Geen probleem!' zei Tom.

'Met Fixit,' mompelde Storm.

# De schuur

Beste Fixit,
Ik wil zo graag een Nintendo DS.
Kunnen jullie me daaraan helpen?
Ze verkopen ze bij Hoy-Toy.
Mijn adres staat in de bijlage.
De kleur mogen jullie kiezen.
Alvast bedankt!
Groeten van Alice

'Geef haar het e-mailadres van Sinterklaas maar,' zei Engel. 'Daar maakt ze meer kans.'

Het Brein drukte op deleten. Toen ging zijn mobieltje.

'Fixit,' zei hij. Hij luisterde even.

Ze zagen aan zijn gezicht dat er iets ergs was.

'Hou vol. We zijn er over twintig minuten!' Hij klapte zijn mobieltje dicht. 'Storm, Panter, Engel! Dat was een noodoproep. Sandy heeft ons nodig! Ik vertel de rest onderweg wel.'

Twintig minuten later kwamen ze bij een grote schuur. Er stond een lange ladder tegenaan. Ook waren er een politieauto en een brandweerauto.

'Bril op,' zei het Brein. 'Anders herkennen ze ons!'

Ze deden het en renden toen naar de schuur.

'Ho, achteruit!' riep een agent. 'Achteruit, mensen!'

Er waren verder helemaal geen mensen, alleen de vier kinderen van Fixit. O nee, er stond nog een meisje van een jaar of negen.

'Ik ben Sandy,' zei ze zacht. 'Mijn zusje zit in deze schuur. Ze is door dat raam geklommen!'

Ze wees naar boven. Daar zat een raampje.

'Maar ze viel naar binnen,' ging Sandy verder. 'En nu geeft ze geen geluid meer. Misschien is ze wel...' Ze slikte en zei niets meer.

'Waar is de deur?' vroeg het Brein aan de agent.

De agent wees met zijn hoofd. 'Aan de zijkant. Hij zit potdicht. Je kunt hem alleen van binnenuit openmaken.'

'Lieverdje, het komt goed,' hoorden ze. 'Alles komt goed, hoor!'

'Dat is mijn moeder, ze staat bij de deur,' legde Sandy uit. 'Ik heb haar gehaald en zij belde meteen de politie.'

'Van wie is de schuur?' vroeg het Brein.

'Dat wordt nu uitgezocht door mijn collega,' antwoordde de agent. 'Als we weten wie de eigenaar is, kunnen we snel de sleutel vragen.'

'Maar dat kan nog heel lang duren,' fluisterde Sandy. 'Als ze maar niet bloedt, want dan...'

Engel sloeg een arm om haar heen.

'Is er al iemand naar boven geklommen?' vroeg het Brein aan de agent.

Die knikte. 'Ik ben op de ladder geweest. Maar je kunt niets zien. En het raampje is te smal om doorheen te klimmen. We moeten gewoon geduld hebben.'

'Schat, nog een paar minuutjes!' hoorden ze Sandy's moeder roepen.

'Panter, pas jij erdoorheen?' vroeg het Brein.

De agent draaide zich om en keek naar Panter.

'Als mijn kop past, past alles,' zei Panter.

'Ze bedoelt haar hoofd,' zei Engel snel tegen de agent.

'Oké Panter, toe maar,' zei het Brein.

Panter pakte de ladder vast.

'Hé, ho, ho!' riep de agent. 'Ik heb hier de leiding!' Hij keek naar Panter. En toen naar het raampje. 'Alleen kijken!' zei hij streng.

Panter rende de ladder op en glipte, floep, door het raampje.

'Hé!' riep de agent. 'Ik zei...'

Ze hoorden niets meer. Helemaal niets. Geen sprong, ook geen val...

Het duurde en het duurde.

'Panter, alles goed?' riep Storm.

Geen antwoord.

'Dit kan zo niet,' zei de agent. 'We breken de deur open.'
'Dat kan Storm wel doen,' zei Engel.
Het Brein knikte. 'Toe maar, Storm!' zei hij.
'Hé, ho, ho!' riep de agent weer. 'Vanaf nu geef ik hier de opdrachten!'
'Het hoeft niet meer,' zei Panter.
Huh? Panter?
Daar stond ze, heel gewoon.
'Ik dacht, door de deur gaat toch makkelijker. Er moet een ziekenauto komen. Dat meisje heeft haar been gebroken.'
De agent rende naar de deur.
'Bedankt!' zei Sandy tegen de kinderen van Fixit. 'Ik zag die agent, en ik dacht: dat wordt niks. Toen heb ik jullie gebeld.'
'Goed gedaan!' zei het Brein.
'Wens je zusje maar beterschap,' zei Engel.
Panter plakte nog snel een sticker op de politiewagen.
*Geen probleem met Fixit,* stond erop.
Toen liepen ze weg.

# De bon

Beste Fixit,
Ik heb nieuwe skates. Ze waren heel duur, ik
moest er anderhalf jaar voor sparen.
Gisteren heb ik er vijf minuten op gereden.
Toen brak er een wieltje af.
Ik kon er echt niks aan doen.
Ik heb de bon niet meer.
Dat is heel dom, dat weet ik.
Nu mag ik ze niet meer ruilen.
Weten jullie heel, heel, heel misschien iets?
Ik hoop dat mijn probleem wordt uitgekozen.
Maar als er andere dingen belangrijker zijn,
begrijp ik dat wel, hoor!
Groetjes van Susie

'Engel, jij?' vroeg het Brein.
'Makkie,' antwoordde Engel.

'Goeiemorgen,' zei de jongen van de speelgoedwinkel.
'Ik kom mijn kapotte skates ruilen,' zei Engel. Urk stond naast haar, hij snuffelde in haar tas met de skates.
'Mag ik de bon, alsjeblieft?' vroeg de jongen.
Het Brein kwam in de rij staan met een barbie in zijn hand. Achter hem volgde een meneer met een groot poppenhuis.
Engel pakte haar portemonnee. 'De bon. Even kijken, hij zit hierin.'

Er kwam een mevrouw bij staan met een knuffel.

'Hier heb ik hem. Alstublieft,' zei Engel.

De jongen keek op de bon. 'Appeltaart,' las hij. 'Dit is de verkeerde.'

'Mag ik zien?' vroeg Engel. Ze keek op de bon. 'O, sorry! Dan moet ik een andere hebben.'

De meneer zette het poppenhuis op de grond. Engel begon in haar jaszakken te graaien.

'Duurt dit nog lang?' vroeg de vrouw met de knuffel ongeduldig.

De jongen van de winkel begon te zweten. 'Sluit maar even achteraan,' zei hij tegen Engel.

'O, wacht eens, wat ben ik toch suf!' riep Engel snel. 'Ik weet het weer, ik heb hem bij de skates gestopt. Urk, ga eens weg bij die tas.'

'Ik help hem eerst, oké?' vroeg de jongen, en hij wees naar het Brein.

'Prima!' riep Engel.

Het Brein stapte naar voren. 'Ik wil deze barbie, maar dan met bruine ogen.'

Verbaasd staarde de jongen hem aan.

'Ik wil wel een blonde,' zei het Brein. 'Maar dus met bruine ogen. Verkopen jullie gekleurde lenzen voor barbies?'

Engel schoot in de lach. 'Sorry,' zei ze snel en ze dook weer in de tas.

'Nee,' zei de jongen kortaf en hij keek al naar de meneer met het poppenhuis.

'Wacht eens,' zei Engel. 'Je kunt ook een bruine barbie met bruine ogen nemen en dan verf je de haren blond.'

Het Brein dacht even na. 'Verkopen jullie haarverf voor barbies?' vroeg hij toen.

De man achter hem zuchtte, zette het poppenhuis terug in de kast en liep de winkel uit.

'Ja, ik heb hem!' riep Engel blij. 'O nee, toch niet.'

De vrouw wees op Urk, die uitgebreid zijn bek zat te likken. 'Misschien heeft je hond die bon wel opgevreten.'

'Ik denk het ook,' zei Engel. 'Foei, Urk!'

'Hij poept hem vanzelf weer uit,' zei het Brein.

'Ik wacht wel,' zei Engel vriendelijk. 'Hij poept altijd heel snel.'

'Tssss!' De vrouw legde de knuffel op de toonbank en liep stampend de winkel uit.

'Al mijn klanten lopen weg!' riep de jongen. 'Hier met die kapotte skates! Pak een nieuwe doos en hup, mijn winkel uit! En jij, leg die barbie terug en wegwezen!'

Zachtjes lachend liepen ze de winkel uit.

'Jij met je gekleurde lenzen,' fluisterde Engel.

'Had toch gekund?' vroeg het Brein. 'Weet je wat ze allemaal hebben voor barbies! Ik zag zelfs schoenpoets en bijvoorbeeld een piepkleine kurkentrekker.'

'Kijk daar.' Engel wees naar de hoek van de straat. Daar stond de vrouw van de knuffel hen op te wachten.

Zodra ze bij elkaar waren, begonnen ze te lachen.

'Hier zijn de skates, groeten aan uw dochter Susie!' Engel plakte nog snel een sticker op de doos.

*Geen probleem met Fixit* stond erop.

# Stoere problemen

Beste Fixit,
Ik ben verliefd op Kasper de Jong, maar ik durf het niet te zeggen!
Hij is de leukste, liefste en stoerste jongen van de klas. Volgens mij vindt hij me stom. Als ik in de buurt ben, loopt hij altijd meteen weg. En hij praat nooit tegen me.
Maar ik ben zo verliefd, ik kan er niet van slapen.
Ik weet niet of jullie dit soort problemen ook behandelen? Zo ja, willen jullie me dan alsjeblieft helpen?
Vera Bosman

'Kunnen we hier iets mee?' vroeg het Brein.

'Verliefdheid! Dat is niks voor Fixit. Weg ermee,' zei Storm.

'Waarom?' riep Engel. 'Dat kan een heel groot probleem zijn, hoor!'

Storm keek haar grijnzend aan. 'Hoe weet jij dat?'

'Gaat je niks aan,' antwoordde Engel. 'Ik vind dat we Vera moeten helpen.'

'Fixit helpt bij échte problemen,' zei Storm. 'Pesten. Bange kinderen. Oneerlijke ouders. Gemene buurjongens. Dierenleed... Je weet wel, échte problemen.'

Panter zuchtte. Ze was zo vaak verliefd. En ze wist hoe rot je je dan kon voelen. Ze keek naar buiten. Het was len-

te. Sommige kinderen liepen al zonder jas op straat.

Engel stond op. Ze had zin in ruzie, dat zag je zo. 'Wie zegt dat dit geen echt probleem is?'

'Ik zeg dat!' antwoordde Storm. 'Het is meidengedoe.'

Nu werd Engel echt boos. 'O, gaan we zo beginnen! Dat moeten we dan wel op onze sticker zetten: Geen probleem met Fixit. Tussen haakjes: alleen voor stoere problemen.'

'Goed idee,' antwoordde Storm.

Engel snoof van kwaadheid. 'Ga jij maar lekker brommers optillen. En tegen muren beuken.'

'Wat wil je dan!' riep Storm. 'Die Kasper rent meteen weg als hij Vera ziet. Dat schrijft ze zelf!'

Engel kneep haar ogen dicht en begon te huilen. 'Ik vind het niet eerlijk,' snikte ze.

Panter moest lachen. Maar Storm liep naar Engel toe, pakte haar op en tilde haar boven zijn hoofd.

'Hé, wat doe je nou, gek!' riep Engel verbaasd.

'Jij gebruikt toch ook je geheime wapen? Dan mag ik dat ook,' antwoordde Storm.

'Storm! Zet Me Neer!' Engel spartelde met haar benen, maar Storm bleef gewoon staan.

'Panter, kietel hem!' riep Engel, maar Panter moest zo hard lachen dat ze achterover op het bed was gevallen.

Eindelijk zette Storm haar neer. 'Niet meer huilen!' zei hij.

'Hulk!' schold Engel.

Intussen zat het Brein zachtjes te grinniken.

'Zeg jij ook eens wat!' zei Engel nijdig. 'Jij bent de baas. Jij beslist welke problemen we behandelen.'

Het Brein wees lachend naar zijn laptop. Nieuwsgierig keken ze naar het scherm.

Beste Fixit,
Ik ben op een meisje.
Ze is zo lief en zo mooi.
Ze heet Vera Bosman.
Maar als ze naar me kijkt, word ik knalrood!
Ik schaam me rot.
Daarom ren ik altijd meteen weg en durf ik niks tegen haar te zeggen.
Ik kan er niet van slapen.
Willen jullie me helpen?
Groeten van Kasper de Jong

'Wie belt Vera even op?' vroeg het Brein.

'Echt een klusje voor een stoere jongen,' zei Engel. 'Ehm... even denken...' Ze keek naar Storm.

Verlegen haalde hij zijn schouders op. 'Ik bel wel. Geen probleem.'

'Met Fixit,' zei Panter.

Engel gaf haar een knipoog. 'Voor ál je problemen.'

# Opa Kees

Beste Fixit,
Mijn opa Kees is heel lief. Hij
woont in een bejaardenhuis.
Daar zit hij graag in de hal,
op een bankje bij het raam.
Hij vindt het leuk om naar de
mensen en de auto's te kijken.
Maar nu zijn er twee oude dames.
En die gaan steeds op dat bankje zitten!
Als hij er zit, jagen ze hem weg.
Ik vind het zo zielig.
Weten jullie iets?
Tess

'Zal ik die dames van de bank af duwen?' stelde Storm voor.

'Storm, doe normaal!' zei Panter streng.

Storm haalde zijn schouders op. 'Wat nou? Die bank moet toch leeg?'

'Doen we dit probleem wel?' vroeg Engel aan het Brein. 'Willen we een opa helpen?'

'Nee, maar we gaan Tess helpen. Het is haar probleem,' antwoordde het Brein. 'Ik heb al een plan. Engel, jij moet het doen. Want jij kunt goed toneelspelen. Samen met Urk. Want die kan ook goed toneelspelen.'

'O ja, hij kan dood op commando,' zei Panter.

'Maar hij kan nog een truc. Kijk maar.' Engel keek Urk streng aan. 'Pitbull,' fluisterde ze. Urk reageerde meteen.

Hij trok zijn oren in zijn nek en zakte iets door zijn poten. Zijn ogen puilden uit. Toen trok hij zijn bovenlip op en gromde naar Panter. Heel diep en vals klonk het.

Panter zette snel een stap achteruit. 'Urk, doe normaal!' zei ze streng.

Meteen was Urk weer de ouwe. Hij ging snel tegen de benen van Panter zitten, alsof hij wilde zeggen: 'Sorry hoor, geintje!'

'Oké, luister naar mijn plan,' zei het Brein.

Het was zondagochtend. Engel was met Urk in het bejaardenhuis.

Ze liepen snel naar het bankje bij het raam. Gelukkig, de dames zaten er nog niet.

'Urk, spring!' zei Engel.

Helaas snapte Urk dat nou weer net niet. Hij keek verbaasd naar Engel. Welk commando bedoelde ze nou: 'pitbull' of 'dood'?

Engel trok aan zijn nek, duwde onder zijn buik, tegen zijn kont... Net op tijd zat hij erop. Daar waren ze: twee oude dametjes.

'Hé, hé,' riepen ze meteen. 'Er mogen geen honden op die bank! Wat denk je wel niet!'

Engel maakte snel een kruisje in de lucht. 'Urk, dood!' fluisterde ze.

Hop, meteen lag Urk op zijn rug. Zijn grote truc!

Engel kneep snel haar ogen dicht. Meteen rolden er twee dikke tranen over haar wangen. Haar grote truc!

'Mijn hond is ziek!' huilde ze.

De dames staarden naar Urk. Die bleef doodstil liggen. Zijn tong hing een stukje uit zijn bek.

'Wat is er met hem?' vroeg een dame.

'Hij heeft last van vlooien,' zei Engel. 'Heel, heel erg last.

En ook van natte teken.
  Kent u die, natte teken?'
  De ene dame trok haar neus op en knikte.
  'Hij zit er vol mee!' zei Engel. 'Nu ligt hij al een paar uur op deze bank. Die vlooien en die teken hebben hem ziek gemaakt.'
  De dames bleven geschrokken kijken.
  'Leeft hij nog wel?' vroeg de een.

'Nog net!' antwoordde Engel. Ze boog zich naar Urk toe en trok zachtjes aan zijn staart. 'Kom maar,' fluisterde ze.

Urk schoot overeind. Hij keek trots naar de dames. Applaus graag, bedoelde hij.

'Gelukkig!' riep Engel. Ze droogde haar tranen af. 'Alle vlooien zijn van hem af gesprongen.

En de natte teken ook. Ze vonden het bankje zeker fijner!'

De dames keken elkaar aan. Toen liepen ze snel naar een andere bank.

'Daar gaan we dus nooit meer zitten! Bah, vieze hond,' zeiden ze boos.

Engel liep tevreden naar de lift. Daar stond opa Kees te schudden van het lachen. Hij had alles gezien.

'Dank je wel, lieverd!' zei hij.

'Graag gedaan!' zei Engel.

Ze plakte snel een sticker op het looprek van opa.

*Geen probleem met Fixit*, stond erop.

# Twieters

Beste Fixit,
Hartstikke, hártstikke bedankt voor het helpen!
Mijn opa zit weer lekker op zijn bankje.
Hij moet de hele dag grinniken. Dat komt door jullie.
Als hij die twee dames ziet, gaat hij zichzelf krabben.
Daar moet hij heel hard om lachen.
En als ze doperwtjes eten, zegt hij: 'Mm, natte teken!'
En daar moet hij ook weer om lachen.
Iedereen wordt vrolijk van hem.
(Behalve die twee dames.)
Veel liefs van Tess

Ze moesten alle vier lachen om het mailtje.

'Zie je wel! Wij worden ook vrolijk van hem!' zei Panter.

Toen klikte het Brein op een nieuw mailtje. 'Oké, volgende probleem!'

Hai Fixit,
Daar ben ik weer: Tess.
Ik heb nog een probleem: onze school doet een soort Idols. Vrijdag is de finale.
Mijn beste vriendin Jimila zingt het mooiste van de hele school.

Toch weet ik nu al dat ze niet gaat winnen. Dat wordt Hannejet.
Zij is heel erg vals. En ze zingt ook heel erg vals.
Maar dat hoort de jury niet.
Ze kijken alleen naar haar uiterlijk (Barbie!).
Dus: Hannejet gaat winnen.
Dat haat ik, het is zo oneerlijk!
Weten jullie een oplossing? Ik wil zo graag dat Jimila wint!
Tess

Het Brein klapte zijn laptop dicht.

'Weer Tess!' zei Engel.

'Twee keer hetzelfde meisje, doen we dat wel?' vroeg Panter.

Het Brein knikte. 'Ja, want ze vraagt steeds hulp voor iemand anders.'

Inderdaad, hij had gelijk.

'Maar hoe gaan we dit aanpakken?' vroeg Engel. 'We kunnen die Hannejet toch niet kidnappen?'

'Twieters,' zei het Brein.

'Wat zeg je?' vroeg Storm.

'Twieters,' herhaalde het Brein. 'Dat is de oplossing. Ik moet even wat in elkaar knutselen.'

'Wat ben je toch knap, Breintje!' zei Engel trots.

Het Brein begon te blozen, maar de anderen deden alsof ze het niet zagen.

'Morgen is het klaar. Wie brengt het bij Tess?' vroeg het Brein.

'Ik,' antwoordde Storm meteen.

Een paar dagen later kwamen de kinderen van Fixit weer bij het Brein. Hij zat hen al op te wachten, met een tevreden grijns op zijn gezicht.

'Hier, lees maar,' zei hij.

Ze gingen achter hem staan en lazen de mail.

Lieve, lieve Fixit,
Jullie zijn geweldig! De beste heeft gewonnen, namelijk: Jimila! En Hannejet ging af als een gieter. Net goed! Ik ben zo blij, hartstikke bedankt.
Veel liefs van Tess
PS: In de bijlage zit een foto. Die heeft Jimila genomen terwijl Hannejet aan het zingen is.

Ze keken lang naar de foto op het scherm.

'Die mensen in de zaal worden helemaal misselijk van haar,' zei Panter verbaasd.

'Dus ze zingt echt heel, heel erg vals?' vroeg Engel.

Het Brein schudde zijn hoofd. 'Ik heb een speciaal mobieltje gemaakt. Er zit een ultrasterke luidspreker in. Die heeft Tess in haar zak zitten. Kijk maar, zie je die bobbel? Toen Hannejet begon te zingen, zette Tess het mobieltje aan.'

'Dus?' vroeg Storm.

'Er komen keiharde, hoge tonen uit het mobieltje,' zei het Brein. 'Die heten twieters. Ze zijn zo hoog, dat je het bijna niet hoort. Maar het doet wel heel erg zeer aan je oren. Je denkt maar één ding: stop!'

'Ja, dat is te zien,' zei Panter.

'De jury dacht dat het door de stem van Hannejet kwam,' legde het Brein uit.

'Wauw, slim bedacht!' zei Panter lachend.

'Wacht even.' Engel keek ernstig. 'Dit mag toch eigenlijk niet? Ik bedoel, het is niet eerlijk. We hebben de jury bedrogen, want door die twieters...'

Storm plakte snel een sticker op haar mond. *Geen probleem met Fixit* stond erop.

'Mmmboebl,' zei Engel.

# Laffer dan laf

Beste Fixit,
Ik krijg steeds gemene e-mails. Ze zijn anoniem, maar twee meisjes uit mijn klas sturen ze. Dat weet ik zeker. Ze zijn tweelingzusjes en ze hebben samen één computer. Ik weet niet of ze ook mailtjes naar andere kinderen sturen, want ik durf er niet over te praten.
Alsjeblieft, alsjeblieft: help me!
Do

'Pestmailtjes.' Storm gromde. 'Ik haat dat! Mag ik hun com puter in de lucht tillen?'

'In de lucht tillen?' vroegen Panter en Engel verbaasd.

'Ja,' zei Storm. 'En dan heel hard laten vallen.'

Panter moest lachen. 'Goed idee!'

'Hé Brein,' zei Engel. 'Kun jij hun computer kraken? Lekker virusje naar ze opsturen?'

Het Brein dacht na. 'We moeten eerst weten of het wel waar is,' zei hij. 'Misschien is Do de pester wel. Ze hoopt dat wij die tweelingzusjes aanpakken. Terwijl ze niets gedaan hebben. En Do maar lachen.'

'Ooh!' zei Engel geschrokken. 'Dat zou gemeen zijn!'

'Precies,' zei het Brein. 'Engel, bel jij Do? We moeten eerst een paar dingen uitzoeken.'

De volgende dag stonden ze bij het huis van de zusjes. Storm, Panter en Engel.

'Ik ga,' fluisterde Engel.

'Wacht!' riep Panter. 'Gebruik je je geheime wapen niet?'

Engel schudde haar hoofd. 'Die zusjes beginnen ook altijd te huilen als ze hun zin niet krijgen. Dat vertelde Do gisteren. Ik moet dus iets anders proberen.'

'Wat ga je dan...'

Engel was al op weg naar de voordeur.

'Dag mevrouw,' hoorden ze haar zeggen. 'Ik hou mijn spreekbeurt over tweelingen. Mag ik iets aan uw dochters vragen?'

'O, dat vinden ze vast enig. Ik zal ze even roepen,' klonk een vrouwenstem.

Storm en Panter renden naar de achtertuin. Panter keek snel op haar briefje.

*Achterkant, eerste verdieping, het grootste raam.*

Ze wees omhoog. 'Dat is hun kamer,' fluisterde ze.

Het raam stond gelukkig een stukje open. Storm ging bij de regenpijp staan. Panter stapte in zijn handen en Storm duwde haar langzaam omhoog. Lenig als een kat klom ze verder. Ze zette één voet op de vensterbank, haakte het raam open en glipte naar binnen. De computer stond nog aan en de deur stond open. Beneden klonken zachte meisjesstemmen.

'Engel, hou ze bezig, hou ze bezig,' mompelde ze.

Ze pakte haar mobiel en belde het Brein. Haar vingers trilden van de zenuwen.

'Ik ben er.'

'Oké,' zei het Brein. 'Klik op *start*, links onderaan.'

Panter deed het. 'Opschieten!' siste ze. 'Ik weet niet hoe lang Engel het volhoudt!'

'Waar vlucht je naartoe als ze komen?' vroeg het Brein.

Panter keek om zich heen. 'Onder het bed,' zei ze. Ze deed haar best om rustig te ademen. 'Schiet dan op!' siste ze.

Heel rustig gaf het Brein opdrachten: klik hierop, klik daarop...

'Sneller!' zei Panter steeds.

'Zit je nu bij *verzonden berichten*?' vroeg het Brein.

'Ja.'

Beneden werd hard gelachen.

'Goed zo, Engeltje,' fluisterde Panter.

'Ehm... Wat zeg je?' vroeg het Brein.

'Laat maar. Ga door.'

'Oké. Lees eens een paar berichten aan Do?'

Panter deed wat hij zei. Het ene bericht was nog gemener dan het andere. De meeste gingen over het uiterlijk van Do.

'Walgelijk,' zei Panter zacht.

Beneden hoorde ze Engel aanstellerig lachen. 'O, dat méén je niet!' riep ze met hoge stem.

'Oké, ik weet genoeg,' zei het Brein. 'Je kunt gaan.'

'Zal ik een sticker op het scherm plakken?' vroeg Panter.

'Dat heb ik net gedaan. Ga maar naar *postvak in*,' zei het

Brein. 'En open het bericht van Fixit.'

Panter deed het. Meteen stond het hele scherm vol met knipperende letters:

*Pestmail? Zonder afzender?*

*LAFFER DAN LAF!*

Ping! Er was een nieuw berichtje.

Ping! Nog een, en nog een, en...

'Dit gaat zeven dagen duren,' zei het Brein. 'Wegwezen, jij.'

Panter rende naar het raam.

'Hartstikke bedankt!' klonk de stem van Engel.

'Héél graag gedaan,' mompelde Panter.

# No Problemo

Heey luitjes!
Ik wil ook wel lid worden van Fixit.
Ik durf alles, ik ben slim en sterk en zo.
Bel me op, jullie zullen er geen spijt van krijgen!
Koen

'Doei, Koen,' zei Storm.

Engel knikte. 'Volgende mailtje.'

Maar het Brein twijfelde. 'We kunnen wel een reserve gebruiken,' zei hij. 'Laten we hem een kans geven. Bel hem maar op, hij moet de Fixit-proef doen!'

Het was zondag. Panter en het Brein stonden op het pleintje bij de judozaal. Daar hadden ze om twee uur afgesproken met Koen.

Het Brein keek op zijn horloge. 'Nog één minuut. Als hij te laat is, weten we meteen genoeg.'

Maar precies op dat moment kwam er een jongen het pleintje op.

'Heey luitjes, whatsup!' Hij gaf ze allebei een klap op hun schouder. 'Fixit is echt cool, weet je! Mijn besluit staat vast: ik word lid!'

'Je moet eerst de Fixit-proef doen,' vertelde Panter.

'No problemo!' Koen stroopte zijn mouwen op. 'Deze jongen is er helemaal klaar voor!'

'De Fixit-proef bestaat uit vier delen,' legde het Brein uit.

‘We beginnen met nummer één.’

‘Lijkt me logisch!’ zei Koen vrolijk. Hij knipoogde naar Panter. ‘Je begint meestal niet met nummer twee!’

Panter moest lachen. Toen liep ze naar het gebouwtje, pakte de regenpijp en klom het dak op. ‘Kom je?’ vroeg ze.

‘Wo!’ Koen keek naar de regenpijp. ‘Dat zaakje gaat breken,’ zei hij toen. ‘Ik weeg meer dan je denkt. Mijn botten zijn erg zwaar. Snap je?’

Het Brein knikte. ‘We snappen het. Dan gaan we door met nummer twee.’ Hij gaf een witte envelop aan Koen. ‘Deze moet je goed bewaren. Aan niemand geven. Echt aan niemand! We zijn over vijf minuten terug.’

‘Is dat alles? No problemo!’ lachte Koen.

Panter klom omlaag en liep met het Brein mee.

Zodra ze weg waren, kwam Engel tevoorschijn.

‘Hoi!’ zei ze.

‘Heey!’ Koen gaf een knipoog.

‘Zit jij hier op judo?’ vroeg Engel.

‘Nee, joh!’ antwoordde Koen. ‘Ik ben van Fixit. Je weet wel, beetje probleempjes oplossen en zo.’

‘Heb je die envelop van ze gekregen?’ vroeg Engel.

‘Yep! Groot geheim,’ zei Koen.

‘Mag ik hem zien?’

‘Nee!’ Koen schudde zijn hoofd. ‘Driemaal nee.’

Engel kneep snel haar ogen dicht. Hupla, huilen geblazen.

‘Ik wil zo graag zien wat erin zit!’ snikte ze.

Koen keek om zich heen. ‘Dan kan niet, joh!’ zei hij.

Meteen begon Engel nog harder te huilen.

‘Nou, eventjes dan,’ zei Koen zachtjes. ‘Maar aan niemand vertellen!’

Hij gaf de envelop, Engel hield hem in de lucht en ja hoor: daar waren Panter en het Brein weer.

'Heey whatsup!' zei Koen snel. 'Kijk, het zit namelijk zo...'

'Maakt niet uit,' zei het Brein. 'Er zat toch niks in die envelop.'

'Wist ik, wist ik!' zei Koen opgelucht. 'Anders had ik hem natuurlijk niet gegeven!'
'Ben je klaar voor nummer drie?' vroeg het Brein.
'Kom maar op!' Koen wreef in zijn handen.
Daar kwam Storm aan. Hij had Urk aan de riem bij zich.
'Ho!' Koen stak een hand omhoog. 'Blijven staan. Ik mag van de dokter niet in de buurt van grote honden komen.'
Engel schoot in de lach. 'Hij heeft nog niet eens zijn pitbulltruc gedaan!'
'Weet ik, weet ik,' zei Koen, terwijl hij naar Urk bleef kijken. 'Maar ik ben echt allergisch voor honden!'
'Kom maar, Urk.' Panter en Urk liepen samen naar het bankje.
'Oké, laatste onderdeel,' zei het Brein.
Koen knikte. 'No problemo!'
'Storm gaat je op de grond gooien,' legde het Brein uit. 'Je moet proberen om drie seconden te blijven staan. Dan ben je geslaagd.'
'Mak...' Maar toen lag Koen al op de grond. 'Kijk,' begon hij. 'Dat komt dus ook door die zware botten.'
Iedereen moest lachen, Koen het hardst van allemaal.
'Ga maar naar huis.' Engel hielp hem overeind, ondertussen plakte ze snel een sticker op zijn rug.
Koen lachte. 'Hou je taai, luitjes!'
'No problemo!' riep Storm.

# Aailes

Beste Fixit,
Mijn vader is doodsbang voor honden.
Bestaat daar een cursus voor?
Of is het hopeloos?
Hilde

Het Brein klapte zijn laptop dicht. 'Hopeloos bestaat niet,' zei hij. 'Bel Hilde maar op. Haar vader moet op aailes.'

De volgende dag stonden Engel en het Brein op het schoolplein te wachten. Urk liep altijd los, maar vandaag moest hij aan de riem.

'Ze zijn laat!' zei het Brein.

Engel knikte. 'Misschien wilde die vader ineens niet meer.'

Ze bleven een half uur wachten. Urk probeerde steeds zijn riem los te krijgen, met één poot, met twee poten, bukkend, trekkend...

'Nog even, Urkie,' zei Engel. 'Het is voor het goede doel.'

'Kom, we gaan,' zei het Brein. Maar precies op dat moment kwam er een meisje aan. Ze trok een man met zich mee. Bij het hek stonden ze stil.

'Ik ben Hilde!' riep het meisje.

De man zei niets. Hij keek alleen maar naar Urk.

'En dit is mijn vader. We komen voor de aailes,' zei Hilde. 'Sorry dat we zo laat zijn!'

'Geeft niet. We gaan beginnen! De aailes bestaat uit vier

delen.' Het Brein keek op zijn lijstje. 'Nummer één: loop om de hond heen als hij slaapt.'

'Bedankt voor de moeite, maar ik zie er toch van af,' zei Hildes vader snel.

'Volhouden, pap,' zei Hilde.

Het Brein maakte een kruisje in de lucht. 'Urk, dood!'

Hop, meteen lag Urk op zijn rug.

'Dood?' riep Hildes vader geschrokken.

'Net alsof,' zei het Brein snel.

Hilde pakte haar vaders hand. Met een wijde boog liepen ze om Urk heen. En toen renden ze heel snel terug naar het hek.

'Goed zo!' riep Engel.

'En nu nummer twee!' Het Brein keek op zijn briefje. 'De zittende hond!'

'Urk, ga maar zitten,' zei Engel. Ze trok zachtjes aan zijn staart.

Nummer twee ging net zoals nummer één.

'Makkie!' zei Hildes vader blij toen ze weer bij het hek stonden.

'Nummer drie!' riep het Brein. 'De hond aanraken!'

Hildes vader pakte het hek vast. 'Zullen we stoppen?' vroeg hij.

'Kom maar, papa,' zei Hilde zacht. Ze duwde hem voorzichtig naar voren.

'Geen geintjes, Urk,' fluisterde Engel. Ze was bang dat Urk ineens ging blaffen. Maar Urk zat doodstil. Hij leek wel een tuinkabouter.

Hildes vader kwam langzaam dichterbij. Met één vinger raakte hij Urks rug aan. Daarna rende hij weer naar het hek. 'Viel reuze mee!' hijgde hij.

Het Brein keek op zijn lijstje. 'Nummer vier: blijven kijken. Hilde, kom maar!'

Hilde liep naar Urk en knielde bij hem neer. Ze kriebelde Urk achter zijn oren. Mm, lekker zeg! dacht Urk. Voorzichtig rolde hij op zijn rug.

'Blijven kijken, papa!' zei Hilde streng. Ze aaide Urk over zijn buik en onder zijn kin.

'Kijk uit!' riep haar vader.

Urk begon te knorren van genot.

'Hij gromt!' schreeuwde Hildes vader. 'Kom terug! Nu meteen!'

'Nee, dat betekent dat hij het lekker vindt!' zei Engel.

Hilde duwde haar gezicht in Urks nek.

Haar vader deed een paar stapjes in hun richting. 'Nu onmiddellijk hier komen!'

'Zie je dat hij niks doet, pap?' Hilde wreef met twee handen tegelijk over Urks buik. Dankbaar gaf Urk haar een lik...

BONS!

Geschrokken keken ze om. Hildes vader was flauwgevallen.

'Papa!' riep Hilde. Ze rende naar hem toe en gaf zachte klopjes op zijn wang.

Langzaam opende hij zijn ogen. 'Ik... waar... O, gelukkig!' zei hij. 'Ik droomde dat je door wilde wolven werd opgegeten.' Hij keek om zich heen. 'O ja, aailes...'

Het Brein pakte een sticker: *Geen probleem met Fixit* stond erop. Uit zijn zak haalde hij een stift en streepte de G door.

'Geef maar hier, die sticker.' Engel liep naar Hilde toe.

'Toch bedankt voor de moeite,' zei Hilde.

Haar vader was spierwit. 'Ik deed echt mijn best.'

'Het geeft niet, hoor.' Engel klopte vriendelijk op zijn rug.

Toen liepen Hilde en haar vader weg.

Het Brein keek ze peinzend na. De sticker zat netjes op de jas van Hildes vader.

'Jouw schuld, wilde wolf!' zei Engel tegen Urk.

'Toch heb ik er iets van geleerd,' zei het Brein.

'Wat dan?' vroeg Engel nieuwsgierig.

'Hopeloos bestaat wel,' antwoordde het Brein.

# Het ringetje

Lieve Fixit!
Ik heb een cadeautje voor jullie gekocht, en mijn moeder heeft een taart gebakken. En opa Kees wil geld aan jullie overmaken!
Kunnen jullie een keer langskomen?
Kusje van Tess

'Aardig hè?' Panter keek nog eens naar het bericht. 'Een cadeautje, een taart én geld!'

'Heel aardig, inderdaad,' zei Storm.

'Superaardig,' zei Engel.

'Oké, we gaan verder.' Het Brein klikte op het volgende bericht.

Verbaasd keek Panter naar de anderen. Die vonden het zo te zien heel gewoon.

Ze schraapte verlegen haar keel. 'Dus die taart en zo...'

'Fixit neemt geen cadeautjes aan,' zei het Brein. Hij draaide zich om en keek Panter aan. 'Stel je voor, we krijgen twee mailtjes met een probleem. Ze zijn allebei precies even ernstig. Maar bij de een krijgen we honderd euro en bij de andere niks. Waarvoor kiezen we dan?'

O ja, dacht Panter. Dan krijgen rijke mensen voorrang.

'Hij is streng, hè?' vroeg Engel.

Panter knikte. 'Maar ik snap het wel.'

'Volgende bericht,' zei het Brein.

Beste Fixit,
Ik moest zeep kopen bij de drogist.
Bij de kassa stond een bak met ringetjes.
Ik vond ze zo mooi, maar ik had niet genoeg geld
om er een te kopen.
En toen...
heb ik er een in mijn zak gestopt.
Dus eigenlijk gestolen.
De meneer van de winkel zag het niet.
(Het wordt nog erger.)
Met bonzend hart betaalde ik de zeep.
En toen pakte de meneer nog een ringetje uit de
bak.
'Cadeautje!' zei hij.
☹☹☹☹☹☹☹☹☹☹
Ooh, Fixit, ik heb zo'n spijt!
Ik wilde niet stelen, het ging vanzelf.
Willen jullie de ringetjes terugbrengen?
Zonder dat hij het merkt.
Ik durf het echt niet zelf.
Alsjeblieft...
Groeten van S.

'Ze heeft echt spijt,' zei Panter. 'We doen het, oké?'
De anderen knikten.
'Ik bel haar wel op,' zei het Brein.

De volgende dag stonden Panter en Engel in de winkel.
'Kan ik jullie helpen?' vroeg de meneer.
Panter had de ringetjes van S. in haar hand.
Maar waar was die bak? Ze keek rond... Nee hoor, geen ringetjes.
'Eh, verkoopt u misschien ook tandpasta?' vroeg Engel.

'Nou en of!' antwoordde de man.

Panter liep de hele winkel door. Nergens stond een bak met ringetjes.

Engel was al bij de kassa met de tandpasta.

Wat moesten ze nu doen?

'Eén achtennegentig,' zei de man.

Engel betaalde.

Ik vraag of hij ringetjes heeft, dacht Panter. Of nee, ik leg ze gewoon op de toonbank.

Maar toen haalde de man een bak tevoorschijn. Een bak met ringetjes!

'Cadeautje, jullie mogen er allebei een uitzoeken,' zei hij.

Engel en Panter keken elkaar aan.

Aarzelend pakte Engel een ringetje. 'Bedankt!' zei ze.

Panter kreeg het er heet van. Ze wilde een van de twee ringetjes terugleggen. Maar haar handen waren nat. Het ringetje bleef plakken!

Ze schudde met haar hand... wreef langs de rand van de bak...

En die meneer bleef maar kijken.

'Wat kost die rode lipgloss?' Engel wees naar de kast achter de man.

Hij glimlachte. 'Ik weet het wel uit mijn hoofd, maar ik ga toch maar even kijken.' En toen draaide hij zich om.

Nu! dacht Panter. Eindelijk viel het ringetje. 'Ik heb er een. Dank u wel,' zei ze zacht.

De man liep mee naar de deur. 'Plak hier de sticker maar.' Hij wees boven de deurknop.

Hè?

'Ik ken jullie,' zei de man lachend. 'Jullie hebben mijn zoon een keer geholpen. Hij had een meester die andere kinderen voortrok. Jullie hebben die meester een lesje geleerd.'

'O ja, ik weet het nog!' zei Engel.

De man pakte nog een ringetje uit de bak. 'Geef die maar aan het meisje van de ringetjes. En zeg maar dat ik niet meer boos ben.'

Nu moesten Engel en Panter ook lachen. Engel plakte een sticker boven de deurknop.

*Geen probleem met Fixit!* stond erop.

# Helden in de schaduw

Geachte leden van Fixit,
Ik heb al vaak over jullie gehoord.
Het schijnt dat jullie zeer goed werk doen.
Vele wanhopige kinderen zijn geholpen.
Iedereen kent Fixit nu, kinderen, maar ook volwassenen.
Het is de hoogste tijd voor een beloning!
We nodigen jullie uit in het gemeentehuis.
De hele gemeenteraad zal er zijn,
en niet te vergeten ikzelf.
Jullie krijgen dan een medaille,
en ook een geldbedrag.
Graag zie ik jullie op 18 juni, om vier uur.
Hoogachtend,
de burgemeester

'Een brief van de burgemeester!' fluisterde het Brein trots.

Even was het stil. Toen begonnen ze te juichen. Urk blafte gezellig mee.

'We zijn helden!' riep Engel.

Panter sprong op en neer op het bed.

'We krijgen geld!' riep Storm.

Ze lazen de mail nog eens, en nog eens.

'We komen vast in de krant!' zei Panter.

Engel schrok. 'Wat moet ik aantrekken!'

'Maak je maar geen zorgen,' zei het Brein. 'Want we gaan niet.'

De anderen keken hem verbaasd aan.

'Wat zei je?' vroeg Panter.

'We gaan niet,' zei hij nog eens.

'Ben je te verlegen?' vroeg Engel lachend.

Panter en Storm moesten ook lachen.

Maar het Brein was serieus.

'Wij willen problemen oplossen,' zei hij. 'Maar als iedereen ons kent, gaat dat niet meer.'

De andere drie waren stil.

'Hè, jammer,' zei Panter na een tijdje.

Storm knikte.

'Nou, volgende mailtje dan maar,' zuchtte Engel.

Op 18 juni ging het Brein naar het gemeentehuis. Op de deur hing een bordje.

*Bijeenkomst FIXIT* stond erop. En daaronder: *(geen kinderen)*

Het Brein deed de deur een klein stukje open. Zo kon hij naar binnen gluren. Het zaaltje was bomvol. Mensen van de gemeente, agenten, ouders, onderwijzers...

De burgemeester schraapte zijn keel.

'Deze middag kan helaas niet doorgaan,' zei hij. 'De leden van Fixit hebben een brief gestuurd.' Hij keek op zijn papier en las voor:

*Wij zijn helden in de schaduw.*
*Niemand ziet ons.*
*Niemand kent ons.*
*Wij willen geen medaille.*
*Wij willen problemen oplossen.*

Het bleef even stil.

Toen begonnen de mensen te klappen. Heel hard en lang. Het Brein deed zachtjes de deur dicht. Toen pakte hij een stift en liep naar het bordje:

Bijeenkomst FIXIT
*(geen kinderen)*

Snel veranderde hij *geen* in: *alleen.*

Daarna plakte hij de sticker erbij.

De enige, echte Fixit-sticker.